Golden City

3 . NUIT POLAIRE

Scénario
Daniel PECQUEUR

Dessin
Nicolas MALFIN

Couleurs
Pierre SCHELLE et Stéphane ROSA

DELCOURT

Dans la même série :
Tome 1 : Pilleurs d'épaves
Tome 2 : Banks contre Banks
Tome 3 : Nuit polaire
Tome 4 : Goldy

Des mêmes auteurs, aux Éditions Petit à Petit :
• La Cour des grands (tome 2)

Du même scénariste, chez le même éditeur :
• Tao Bang (un volume) - coscénario de Vatine et Blanchard, dessin de Cassegrain

Aux Éditions Petit à Petit :
• La Cour des grands (deux volumes) - collectif

Chez Dargaud Éditeur :
• Cargal (quatre volumes) - dessin de Formosa
• Thomas Noland (cinq volumes) - dessin de Franz
• Marée basse - dessin de Gibrat

Aux Éditions Joer :
• Les Méandres de l'Histoire (l'histoire de Rouen en BD)

© 2001 Guy Delcourt productions

Tous droits réservés pour tous pays.
Dépôt légal : janvier 2001. I.S.B.N. : 2-84055-548-4

Conception graphique : Trait pour Trait

Achevé d'imprimer en avril 2002
sur les presses de l'imprimerie Lesaffre, à Tournai, Belgique.
Relié par Ouest Reliure à Rennes.

www.editions-delcourt.fr

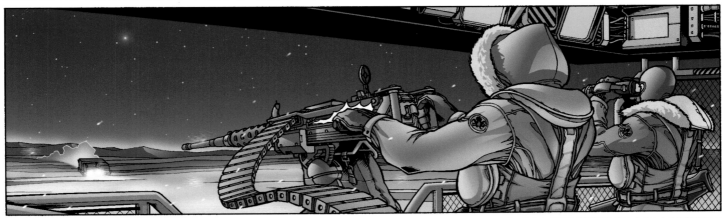

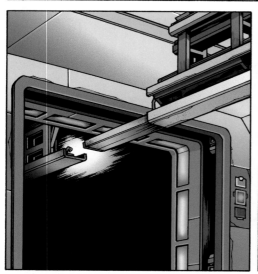

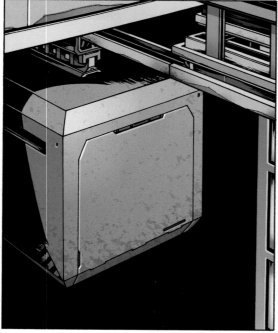

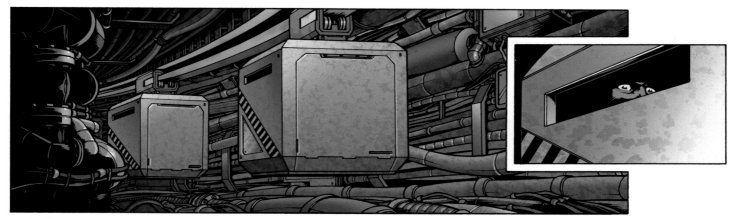

?!

!!

TOUT LE MONDE À POIL !

ENLEVEZ AUSSI VOS MONTRES, BAGUES, ETC.!... FOUTEZ-LES DANS LE CHARIOT AVEC VOS FRINGUES !

ALIGNEZ-VOUS FACE À MOI !... PLUS VITE QUE ÇA !... MAGNEZ-VOUS LE CUL !

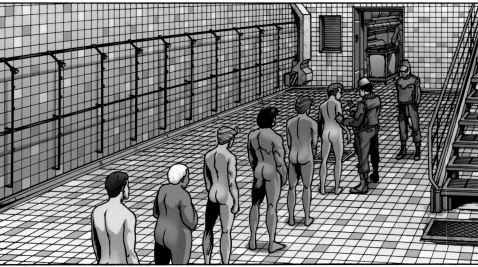

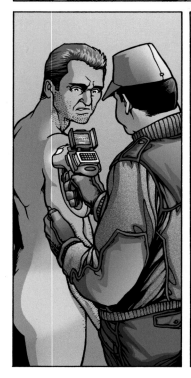

TU T'APPELLES COMMENT ?

RUSTY WALLACE.

JE TE DEMANDE PAS TON NOM, CONNARD, JE TE DEMANDE COMMENT TU T'APPELLES !... BAISSE LES YEUX QUAND JE TE PARLE !

ICI, T'ES PLUS RIEN, PLUS PERSONNE !... T'AS PLUS DE NOM, PLUS D'IDENTITÉ !... T'ES PLUS QU'UN NUMÉRO : CELUI QU'ON VIENT DE TE TATOUER !... T'AS COMPRIS, FILS DE PUTE ?!... À PARTIR DE MAINTENANT, TU T'APPELLES **990317** !

MÊME CHOSE POUR VOUS TOUS !... DES NUMÉROS !... VOILÀ CE QUE VOUS ÊTES DÉSORMAIS, BANDE DE SALOPARDS !... DES NUMÉROS ET RIEN D'AUTRE !

POURQUOI T'AS GARDÉ CETTE MERDE ?... J'AI DIT DE TOUT ENLEVER !

C'EST UN CADEAU DE MA PETITE AMIE...

RIEN À FOUTRE !

AAAAHHH...

ARRÊTE DE CHIALER COMME UNE GON-ZESSE !... DEBOUT !

RETOURNE À TA PLACE, TOI !... LAISSE-LE SE DÉMERDER TOUT SEUL !

T'AS COMPRIS ?!

AARH

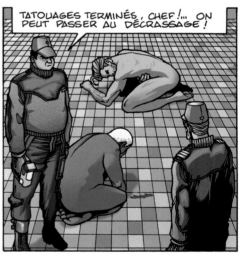

TATOUAGES TERMINÉS, CHEF !... ON PEUT PASSER AU DÉCRASSAGE !

OK !... VAS-Y !

J'EN CONNAIS UNE
QUI VA SE RÉGALER !

COUCOU !... COUCOU !

À QUI TU DIS COUCOU ?

À MIFA ET SOLO !... ILS SONT EN TRAIN DE PÊCHER.

MIFA A PRIS PLEIN DE HOMARDS !... T'EN AS DÉJÀ MANGÉ ?

NON

TU VAS VOIR, C'EST DRÔLEMENT BON !

WHAOUOUOU !...
C'EST ENCORE PLUS BEAU QUE JE CROYAIS !

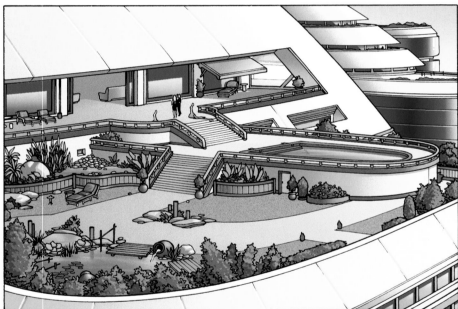

OH !
C'EST LE MONSIEUR !

QUEL MONSIEUR ?

CELUI QUI M'A SAUVÉ LA VIE, TU SAIS ?... * JE VIENS DE LE VOIR !

MENTEUSE !

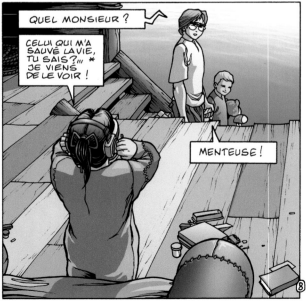

* LIRE TOMES 1 ET 2.

MAIS SI, C'EST VRAI !... MÊME QU'IL ÉTAIT AVEC UNE DAME BLONDE ET QU'ILS SONT ENTRÉS DANS UN APPARTEMENT !

TU T'ES TROMPÉE, ÇA PEUT PAS ÊTRE LUI. C'EST IMPOSSIBLE.

POURQUOI ?

PARCE QU'IL EST EN TAULE DEPUIS SIX MOIS.

COMMENT TU LE SAIS ?

ILS EN ONT PARLÉ À LA TÉLÉ. IL A ÉTÉ CONDAMNÉ AUX TRAVAUX FORCÉS À PERPÉTUITÉ ET IL PURGE SA PEINE DANS UN BAGNE DISCIPLINAIRE.

ÇA VEUT DIRE QUOI, DISCIPLINAIRE ?

ÇA VEUT DIRE QUE TOUT EST INTERDIT : TABAC, ALCOOL, TÉLÉ, RADIO, MUSIQUE, LIVRES, JOURNAUX !... TOUT !

LES PRISONNIERS N'ONT MÊME PAS LE DROIT DE TÉLÉPHONER, DE RECEVOIR DU COURRIER OU DES VISITES !...

NI DE PARLER ENTRE EUX !

9

11

ILS PARLENT JAMAIS ?!... À PERSONNE ?!... ALORS LÀ, MOI, JE POURRAIS PAS M'EN EMPÊCHER !

ÇA, C'EST SÛR !... BAVARDE COMME TU ES, TU FINIRAIS ILLICO AU MITARD !

C'EST QUOI, LE MITARD ?

UN CACHOT SANS FENÊTRE, TOUT NOIR', OÙ IL EST IMPOSSIBLE DE SE TENIR DEBOUT...

ON Y ENFERME LES DÉTENUS QUI N'ONT PAS RESPECTÉ LE RÈGLEMENT...

...OU QUI ONT ABÎMÉ, MÊME INVOLONTAIREMENT, LE MATÉRIEL. NOTAMMENT LEURS SCAPHANDRES QUI COÛTENT TRÈS CHER.

MACHINES EN AVANT, TOUTES !'

POURQUOI ILS COÛTENT CHER ?

PARCE QU'ILS SONT SPÉCIALEMENT CONÇUS POUR RÉSISTER AUX GRANDES PROFONDEURS.

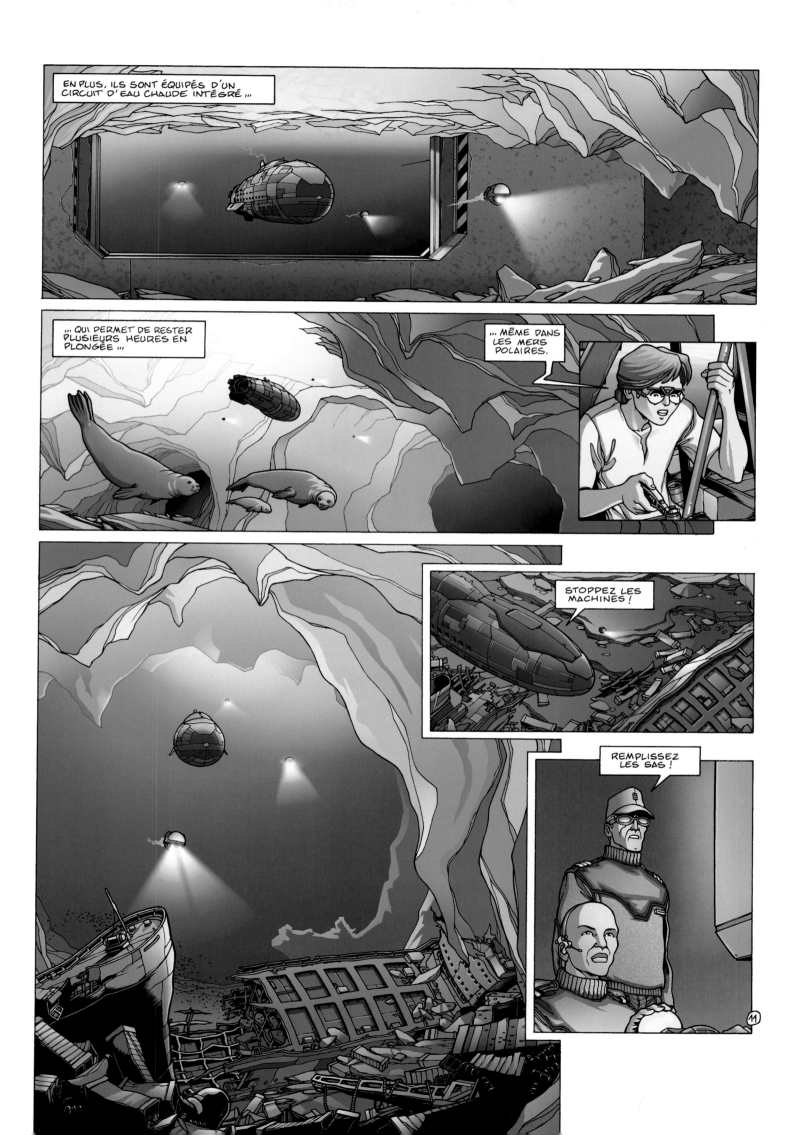

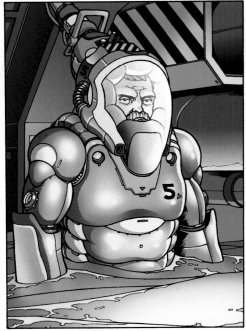

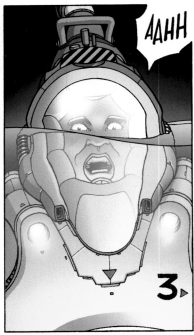

AAHH

AAAHHH

QUEL TROUILLARD!... ÉCOUTE-LE: IL BRAILLE ENCORE PLUS QUE D'HABITUDE!

C'EST PLUS FORT QUE LUI: IL A TELLEMENT PEUR DE L'EAU QU'IL PEUT PAS S'EN EMPÊCHER!

OUVREZ LES SAS ET LARGUEZ LES DRÔNES DE SURVEILLANCE!

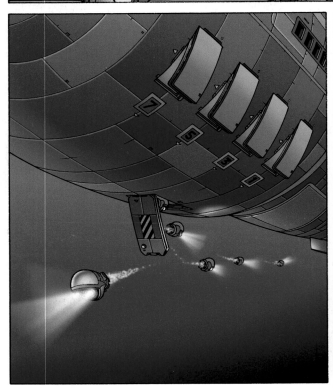

NOON...
AU... AU
SECOURS!

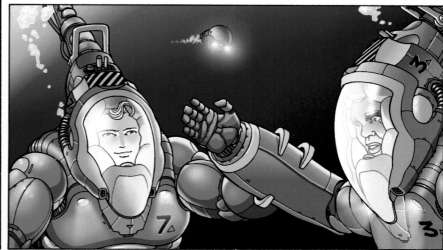

ÇA Y EST, L'AUTRE BRAILLARD S'EST CALMÉ!... SON ANGE GARDIEN EST VENU LE RASSURER, COMME TOUJOURS!

JE ME DEMANDE COMMENT VOUS POUVEZ TOLÉRER ÇA, CHEF!

C'EST PAS INTERDIT PAR LE RÈGLEMENT!... LES DÉTENUS PEUVENT S'ENTRAIDER À CONDITION DE NE PAS PARLER ET DE BOSSER CORRECTEMENT.

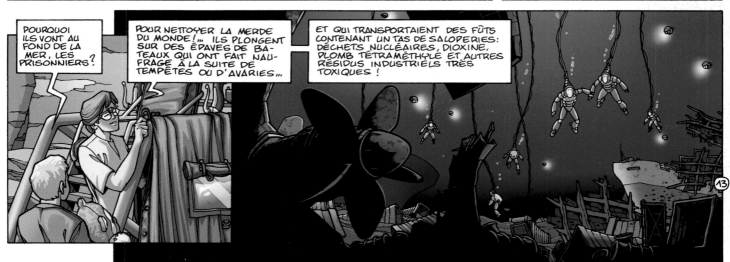

POURQUOI ILS VONT AU FOND DE LA MER, LES PRISONNIERS?

POUR NETTOYER LA MERDE DU MONDE!... ILS PLONGENT SUR DES ÉPAVES DE BATEAUX QUI ONT FAIT NAUFRAGE À LA SUITE DE TEMPÊTES OU D'AVARIES...

ET QUI TRANSPORTAIENT DES FÛTS CONTENANT UN TAS DE SALOPERIES: DÉCHETS NUCLÉAIRES, DIOXINE, PLOMB TÉTRAMÉTHYLE ET AUTRES RÉSIDUS INDUSTRIELS TRÈS TOXIQUES!

13

ÇA FAIT DES DIZAINES D'ANNÉES QUE CES BARILS EMPOISONNÉS ROUILLENT PAR PLUSIEURS CENTAINES DE MÈTRES DE FOND !...

ILS SONT TELLEMENT BOUFFÉS PAR LA CORROSION QUE LE WCPE * A DÉCIDÉ DE FAIRE VIDER LES CALES POUR ÉVITER UNE TERRIBLE CATASTROPHE ÉCOLOGIQUE !...

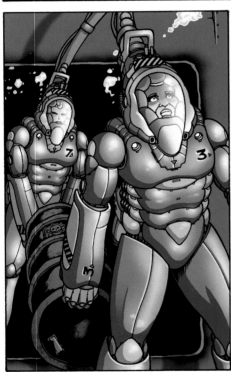

MAIS COMME C'EST UN BOULOT TRÈS DANGEREUX, ILS FONT FAIRE ÇA PAR DES BAGNARDS.

MALGRÉ LES PROTECTIONS, BEAUCOUP D'ENTRE EUX MEURENT, CONTAMINÉS PAR LES PRODUITS QU'ILS MANIPULENT.

POURQUOI ILS S'ÉVADENT PAS ?

IMPOSSIBLE !... LA TEMPÉRATURE EXTÉRIEURE DESCEND JUSQU'À MOINS 60° ET LE VILLAGE LE PLUS PROCHE EST À CENT BORNES !... LES RARES QUI ONT ESSAYÉ !...

* WCPE : WORLD COUNCIL FOR THE PROTECTION OF THE ENVIRONMENT (CONSEIL MONDIAL DE PROTECTION DE L'ENVIRONNEMENT).

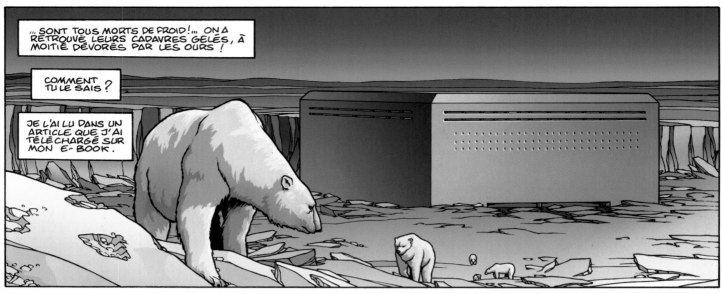

"... SONT TOUS MORTS DE FROID !... ON A RETROUVÉ LEURS CADAVRES GELÉS, À MOITIÉ DÉVORÉS PAR LES OURS !

COMMENT TU LE SAIS ?

JE L'AI LU DANS UN ARTICLE QUE J'AI TÉLÉCHARGÉ SUR MON E-BOOK.

♪

?!

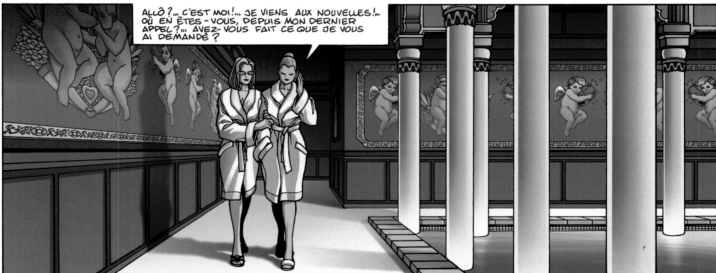

ALLÔ ?... C'EST MOI !... JE VIENS AUX NOUVELLES !... OÙ EN ÊTES-VOUS, DEPUIS MON DERNIER APPEL ?... AVEZ-VOUS FAIT CE QUE JE VOUS AI DEMANDÉ ?

NON, PAS ENCORE. J'ATTENDS LE MOMENT PROPICE POUR LE BUTER.

JE N'AI PAS LE TEMPS D'ATTENDRE, JE VOUS L'AI DÉJÀ DIT !... ALORS RÉGLEZ ÇA AU PLUS VITE !... JE VOUS DONNE DEUX JOURS !... PAS UN DE PLUS !... COMPRIS ?... SINON, JE FAIS PUBLIER LES PHOTOS DANS LES MÉDIAS !

N... NON !... NE FAITES PAS ÇA, JE VOUS EN SUPPLIE !... COMMENT ?... OUI, OUI, D'ACCORD !... AVANT DEUX JOURS, COMPTEZ SUR MOI !

15

C'EST QUOI, CES PHOTOS DONT TU LUI PARLAIS ?

ELLES ONT ÉTÉ PRISES À SON INSU PENDANT SES VACANCES À MANILLE. C'EST UN ADEPTE DU TOURISME SEXUEL.

TU... TU VEUX DIRE QUE CE SALAUD EST PÉDOPHILE ?

QUAND ON VOIT LES PHOTOS EN QUESTION, ÇA NE FAIT AUCUN DOUTE !... SI LES MÉDIAS LES PUBLIAIENT, IL FINIRAIT À COUP SÛR EN TAULE !... OU, PIRE POUR LUI, AU BAGNE !

C'EST POUR CETTE RAISON QU'IL TIENT TANT À LES RÉCUPÉRER !... IL EST PRÊT À TOUT POUR ÇA !... MÊME À TUER LE DÉTENU 990320, COMME JE LE LUI AI ORDONNÉ !

QUI VA LÀ?!... RÉPONDEZ
OU JE TIRE !!

AH C'EST VOUS, CHEF!... EXCUSEZ-MOI!...
DE LOIN, JE VOUS AVAIS PAS RECONNU!

J'ARRIVE
PAS À
ROUPILLER
ET J'AI
PLUS DE
CIGARES !

JE CROIS EN AVOIR
LAISSÉ UNE BOÎTE
DANS LE SOUS-MARIN!...
JE VAIS LA CHERCHER.

D'ACCORD,
CHEF !

♪ HAPPY BIRTHDAY TO YOU... ♪

♪ HAPPY BIRTHDAY TO YOU, ♫ HARRISON ! ♪

TU CROIS QU'ON VA AVOIR DROIT AU BISOU, NOUS AUSSI ?

ÇA M'ÉTONNERAIT BEAUCOUP !... JESSICA EST TERRIBLEMENT JALOUSE !... DEPUIS QU'ELLE A ÉPOUSÉ BANKS, ELLE NE LAISSE AUCUNE FEMME S'EN APPROCHER À MOINS D'UN MÈTRE !

MERCI D'ÊTRE VENUS SI NOMBREUX À CETTE PETITE SOIRÉE, CHERS AMIS !... JE PROFITE DE L'OCCASION POUR VOUS ANNONCER UNE GRANDE NOUVELLE : J'AI DÉCIDÉ DE ME PRÉSENTER COMME TÊTE DE LISTE AUX PROCHAINES ÉLECTIONS MUNICIPALES !

BRAVO !... BRAVO !

BRAVO !

BRAVO !

18

JE VOTERAI POUR VOUS, MON CHER HARRISON !... ET JE NE SERAI PAS LA SEULE !... NOUS SOMMES NOMBREUX À PENSER QUE VOUS FEREZ UN EXCELLENT MAIRE !... N'EST-CE PAS, ARCHIE ?

OUI !... POUR DIRIGER CETTE VILLE, IL NOUS FAUT UN HOMME COMME VOUS : INTÈGRE ET DYNAMIQUE !... DEUX QUALITÉS QUE VOUS AVEZ HÉRITÉES DE VOTRE MÈRE !

C'ÉTAIT UNE FEMME VRAIMENT EXCEPTIONNELLE !... JE L'ADMIRAIS BEAUCOUP, VOUS SAVEZ !... ELLE AVAIT UN SENS INNÉ DES AFFAIRES, ET UNE FORCE DE CARACTÈRE PEU COMMUNE QUI LUI PERMETTAIT DE SURMONTER TOUS LES OBSTACLES !

C'ÉTAIT, DE PLUS, UNE NOVATRICE !... TOUJOURS EN AVANCE SUR SON TEMPS !... SANS ELLE, GOLDEN CITY N'AURAIT JAMAIS EXISTÉ !... JE ME SOUVIENS ENCORE DU JOUR OÙ ELLE M'EN A PARLÉ POUR LA PREMIÈRE FOIS !...

C'ÉTAIT DANS MON BUREAU DE WALL-STREET, IL Y A TRENTE ANS DE ÇA !... ELLE DIRIGEAIT DÉJÀ LE GROUPE BANKS, À L'ÉPOQUE ...

ARCHIE MON AMI, VOULEZ-VOUS GAGNER **BEAUCOUP** D'ARGENT ?

C'EST LE SOUHAIT DE TOUS LES BANQUIERS, MA CHÈRE !

ALORS VISIONNEZ ÇA !

21

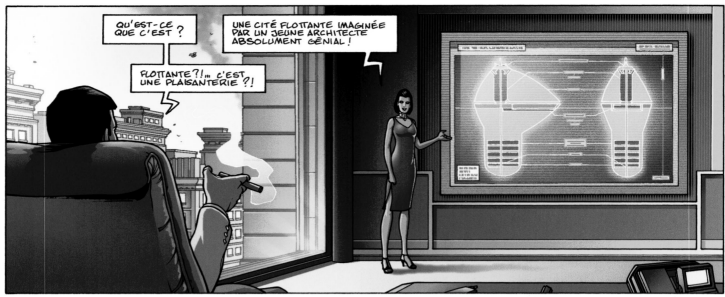

QU'EST-CE QUE C'EST ?

UNE CITÉ FLOTTANTE IMAGINÉE PAR UN JEUNE ARCHITECTE ABSOLUMENT GÉNIAL !

FLOTTANTE ?!... C'EST UNE PLAISANTERIE ?!

NON, ARCHIE, C'EST L'AVENIR !... L'ENDROIT DONT NOUS RÊVONS TOUS !... UN HAVRE DE PAIX OÙ IL FERA BON VIVRE, LOIN DE LA POLLUTION ET DE L'INSÉCURITÉ DE NOS MÉTROPOLES SURPEUPLÉES !

COMMENT ÇA "OÙ IL FERA BON VIVRE" ?!... DOIS-JE COMPRENDRE QUE VOUS AVEZ **RÉELLEMENT** L'INTENTION DE LA FAIRE CONSTRUIRE ?!

OUI !... MAIS POUR ÇA, J'AI BESOIN DE CAPITAUX !... IL ME FAUT DES PARTENAIRES FINANCIERS !... EN CONNAISSEZ-VOUS QUI SERAIENT INTÉRESSÉS ?

POURQUOI PAS ?... SI C'EST UN INVESTISSEMENT RENTABLE !

TRÈS RENTABLE !

VOUS EN ÊTES SÛRE ?

CERTAINE !... CETTE VILLE SPLENDIDE ET LUXUEUSE ATTIRERA LES MILLIARDAIRES DU MONDE ENTIER !... PRIMO PARCE QU'ILS Y VIVRONT EN TOUTE TRANQUILLITÉ, PROTÉGÉS 24 HEURES SUR 24 PAR UNE POLICE PRIVÉE !

ET SECUNDO PARCE QU'ELLE POURRA SE DÉPLACER À VOLONTÉ !

20

VOUS VOULEZ DIRE COMME... UN IMMENSE VAISSEAU ?!

OUI!... CE QUI PERMETTRA DE RESTER EN PERMANENCE HORS DES EAUX TERRITORIALES ET DE NE DÉPENDRE D'AUCUN GOUVERNEMENT!

UN PARADIS FISCAL, EN SOMME!

OÙ SE PRÉCIPITERONT LES PLUS FORTUNÉS : INDUS-TRIELS, RICHES HÉRITIERS, BANQUIERS, PRODUC-TEURS, STARS DU CINÉMA, DU SHOW-BIZZ, OU DU SPORT, ETC!... ILS VOUDRONT TOUS Y HABITER!

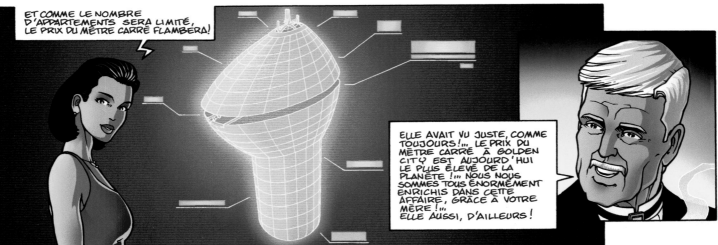

ET COMME LE NOMBRE D'APPARTEMENTS SERA LIMITÉ, LE PRIX DU MÈTRE CARRÉ FLAMBERA!

ELLE AVAIT VU JUSTE, COMME TOUJOURS!... LE PRIX DU MÈTRE CARRÉ À GOLDEN CITY EST AUJOURD'HUI LE PLUS ÉLEVÉ DE LA PLANÈTE!... NOUS NOUS SOMMES TOUS ÉNORMÉMENT ENRICHIS DANS CETTE AFFAIRE, GRÂCE À VOTRE MÈRE!... ELLE AUSSI, D'AILLEURS!

MAIS, VOYEZ-VOUS, JE RESTE PERSUADÉ QU'ELLE N'A PAS FAIT ÇA POUR L'ARGENT!

AH BON?... POURQUOI L'A-T-ELLE FAIT, ALORS?

POUR VOUS, HARRISON!... POUR VOUS PROTÉGER!

ELLE VOUS ADORAIT!... AUTANT ELLE ÉTAIT REDOUTABLE EN AFFAIRES, AUTANT ELLE ÉTAIT AVEC VOUS LA PLUS TENDRE DES MÈRES!... ELLE VOUS AIMAIT TELLEMENT QUE, DEPUIS VOTRE NAISSANCE, ELLE VIVAIT DANS LA PEUR DE VOUS PERDRE...

ELLE CRAIGNAIT À TOUT INSTANT QU'IL VOUS ARRIVE MALHEUR, QUE VOUS SOYEZ VICTIME D'UN ACCIDENT OU DE LA VIOLENCE QUI SÉVIT PARTOUT DANS LE MONDE.

C'EST POUR ÇA QU'ELLE S'EST TANT BATTUE POUR FAIRE CONSTRUIRE GOLDEN CITY!... PARCE QU'ELLE SAVAIT QUE LE PETIT GARÇON QUE VOUS ÉTIEZ ALORS POURRAIT Y GRANDIR EN TOUTE SÉCURITÉ!

21

ON REMONTE LA BARGE, CHEF?

PAS AVANT MON SIGNAL!... JE VEUX D'ABORD M'ASSURER QU'ELLE EST COMPLÈTEMENT REMPLIE!

OUVREZ LE VOLET DE CALE!

OK, C'EST BON!... ELLE EST PLEINE!... VOUS POUVEZ LA REMONTER!

22

MAINTENANT!

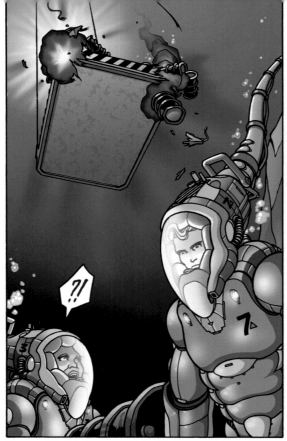

?!

ATTENTION !! ?!!

DENZEL !

QU'EST-CE QUE C'EST QUE CE BORDEL ?! ... POURQUOI LES CÂBLES DE LA BARGE ONT-ILS CASSÉ ?!

ON N'EN SAIT RIEN, CHEF !

ON COMPREND VRAIMENT PAS CE QUI A PU SE PASSER !

VOUS AVEZ DÛ FAIRE UNE FAUSSE MANŒUVRE, BANDE DE CONNARDS ! ... C'EST LA SEULE EXPLICATION POSSIBLE !

23

MAIS NON, CHEF, JE VOUS ASSURE QUE ...

VOS GUEULES ! ... ON REPARLERA DE ÇA PLUS TARD ! ... REMONTEZ TOUT LE MONDE ! ... ON RENTRE À LA BASE !

BILAN ?

UN MORT ET UN BLESSÉ LÉGER, MONSIEUR LE DIRECTEUR : ÇA AURAIT PU ÊTRE PIRE : ON A VRAIMENT FRÔLÉ LA CATASTROPHE !

QU'EST-CE QU'ON FAIT DU MACCHABÉE, CHEF ?

METTEZ-LE AU FRIGO, JE M'EN OCCUPERAI PLUS TARD.

ET LUI ?

À L'INFIRMERIE.

COMMENT EST-CE ARRIVÉ ?

J'ÉTAIS EN TRAIN DE SURVEILLER LA REMONTÉE DE LA BARGE QUAND SOUDAIN LES CÂBLES ONT LÂCHÉ !

POUR QUELLE RAISON ?!... VOUS ÉTIEZ EN SURCHARGE ?

NON, MONSIEUR LE DIRECTEUR !... JE PENSE PLUTÔT QU'IL S'AGIT D'UNE ERREUR HUMAINE !... L'UN DE NOS HOMMES A CERTAINEMENT FAIT UNE FAUSSE MANŒUVRE !

QUI ?

AUCUNE IDÉE !... POUR LE SAVOIR, IL FAUDRAIT LES INTERROGER SÉPARÉMENT !... L'UN D'EUX FINIRA BIEN PAR DÉNONCER LE COUPABLE !

LES INTERROGER ?!... MAINTENANT ?

OUI !... JE PEUX M'EN CHARGER, SI VOUS VOULEZ ?

D'ACCORD !... MOI, DE TOUTE FAÇON, JE N'AI PAS LE TEMPS POUR LE MOMENT !... J'ATTENDS DE LA VISITE !

AH BON ?!... QUI ÇA ?

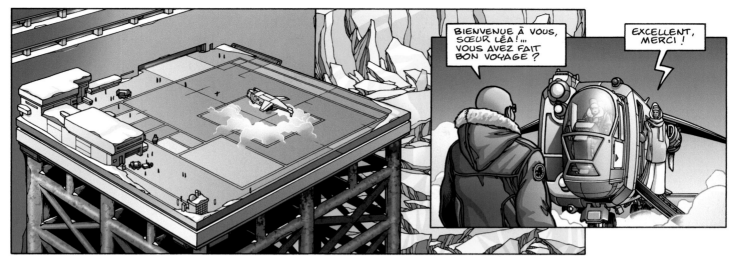

BIENVENUE À VOUS, SŒUR LÉA !... VOUS AVEZ FAIT BON VOYAGE ?

EXCELLENT, MERCI !

SI J'AVAIS ÉTÉ AVERTI PLUS TÔT DE VOTRE VENUE, J'AURAIS PU PRÉPARER UNE PETITE RÉCEPTION EN VOTRE HONNEUR !... MAIS ON M'A PRÉVENU IL Y A SEULEMENT UNE HEURE !

NE VOUS EN FAITES PAS, C'EST TRÈS BIEN COMME ÇA !... DE TOUTE FAÇON, JE NE RESTE PAS LONGTEMPS !... JE PASSE JUSTE VOUS APPORTER DES MÉDICAMENTS ET DES VACCINS POUR VOS DÉTENUS.

NOUS Y AVONS AJOUTÉ DES LETTRES ENVOYÉES PAR LEURS FAMILLES.

VOYONS MA SŒUR, VOUS SAVEZ BIEN QUE C'EST FORMELLEMENT INTERDIT PAR LE RÈGLEMENT !

AH OUI, C'EST VRAI, J'OUBLIE TOUJOURS !... MAIS MAINTENANT QU'ELLES SONT LÀ, VOUS N'ALLEZ TOUT DE MÊME PAS M'OBLIGER À LES REMPORTER ?

ÉCOUTEZ, VOUS ME FAITES LE COUP À CHAQUE FOIS !... ALORS, À PRÉSENT, C'EST FINI !... JE REFUSE CATÉGORIQUEMENT DE...

ALLONS, ALLONS, NE VOUS FAITES PAS PLUS MÉCHANT QUE VOUS N'ÊTES !... DEMANDEZ PLUTÔT À VOS GARDIENS DE NOUS AIDER À PORTER TOUT ÇA À L'INFIRMERIE !

C'EST L'UN DE VOS DÉTENUS ?... QU'EST-CE QU'IL A ?

RIEN DE GRAVE, RASSUREZ-VOUS !... IL A ÉTÉ LÉGÈREMENT BLESSÉ, CE MATIN, LORS D'UN MALENCONTREUX ACCIDENT ET ...

...NOUS LE GARDONS EN OBSERVATION PAR MESURE DE SÉCURITÉ.

?!

LÉA !!

QU'EST-CE QUI TE PREND DE GUEULER COMME ÇA ?!

JE VEUX VOIR SOEUR LÉA, IL FAUT ABSOLUMENT QUE JE LUI PARLE !... C'EST TRÈS IMPORTANT !

LES PRISONNIERS NE DOIVENT PARLER À PERSONNE !... ALORS FERME-LA, COMPRIS ?!

NON !... N'ENTREZ PAS !... C'EST FORMELLEMENT INTERDIT PAR ...

LE RÈGLEMENT, JE SAIS !

?!

26

QUE VOULEZ-VOUS ME DIRE DE SI IMPORTANT ?

JE SUIS VICTIME D'UNE ERREUR JUDICIAIRE : ON M'ACCUSE DE CRIMES QUE JE N'AI PAS COMMIS !

AIDEZ-MOI, JE VOUS EN SUPPLIE !... DITES-LEUR QUE JE SUIS HARRISON BANKS !... VOUS, AU MOINS, ILS VOUS CROIRONT !

BANKS ?!

NE L'ÉCOUTEZ PAS, MA SOEUR, C'EST UN MYTHOMANE !... IL MENT COMME IL RESPIRE !

NON !... JE NE MENS PAS !... JE SUIS VRAIMENT HARRISON BANKS !

CE N'EST PAS POSSIBLE, VOYONS. JE CONNAIS BIEN LE PRÉSIDENT BANKS. JE L'AI D'AILLEURS VU LA SEMAINE DERNIÈRE À GOLDEN CITY.

C'EST UN IMPOSTEUR !

QUI ÇA ?!

LE TYPE QUE VOUS AVEZ VU À GOLDEN CITY !... ÇA PARAÎT INCROYABLE, JE SAIS, MAIS C'EST POURTANT LA VÉRITÉ : IL M'A VOLÉ MON IDENTITÉ !

IL A PRIS MA PLACE !... SANS DOUTE GRÂCE À LA COMPLICITÉ DE CERTAINS DE MES PROCHES QUI LUI ONT TOUT APPRIS SUR MOI !... **TOUT** !... DANS LES MOINDRES DÉTAILS !... AFIN QU'IL DEVIENNE MON DOUBLE PARFAIT ET QUE PERSONNE NE PUISSE FLAIRER LA SUPERCHERIE !

DÉSOLÉ DE VOUS DÉRANGER, SOEUR LÉA !... LE BLIZZARD SE LÈVE !... IL FAUT REPARTIR IMMÉDIATEMENT !

TRÈS BIEN, J'ARRIVE !

NON !... ATTENDEZ !... SI VOUS NE ME CROYEZ PAS, DEMANDEZ DONC À VOTRE PRÉTENDU BANKS QUI EST GOLDY !

G...GOLDY?... COMMENT POUVEZ-VOUS CONNAÎTRE CE NOM ?

C'EST UN SECRET QUE M'A CONFIÉ UNE PETITE FILLE.

ALLONS, VENEZ !... VITE !... SINON NOUS NE POURRONS PAS DÉCOLLER !... IL Y AURA TROP DE VENT !

VOUS LUI POSEREZ LA QUESTION ?

À BANKS ?... OUI, JE VOUS LE PROMETS !

MERCI !... COMME ÇA, VOUS SAUREZ QUI DIT LA VÉRITÉ : LUI OU MOI !

VOUS ÊTES SÛR QUE C'EST UN MYTHOMANE ?

ABSOLUMENT !... NE CROYEZ PAS UN MOT DE CE QU'IL VOUS A RACONTÉ !... DÉJÀ, LORS DE SON ARRESTATION, IL A TENTÉ DE SE FAIRE PASSER POUR LE PRÉSIDENT BANKS, ALORS QU'EN RÉALITÉ ...

"C'EST UN DANGEREUX CRIMINEL !... IL A COMMIS UN MEURTRE AU COURS D'UNE BAGARRE ET CAUSÉ LA MORT DE DEUX POLICIERS EN TENTANT DE S'ÉVADER LORS DE SON TRANSFERT EN PRISON ! (*)

DEPUIS COMBIEN DE TEMPS EST-IL INCARCÉRÉ ICI ?

SIX MOIS ENVIRON.

POURQUOI EST-IL ATTACHÉ SUR SON LIT ?... EST-CE VRAIMENT NÉCESSAIRE ?

OUI !... CAR IL EST PLUS FACILE DE S'ÉVADER DE L'INFIRMERIE QUE D'UNE CELLULE !... AUSSI DEVONS-NOUS PRENDRE DES PRÉCAUTIONS SUPPLÉMENTAIRES !... C'EST LE RÈGLEMENT !... ET IL N'EST PAS QUESTION DE L'ENFREINDRE !... PASSE ENCORE POUR LES LETTRES... MAIS LÀ, NON !

N'OUBLIEZ PAS DE LES DISTRIBUER AUX DÉTENUS !

COMPTEZ SUR MOI, CE SERA FAIT !... AU REVOIR !

(*) LIRE TOME 2

28

30

BONJOUR ...

SALUT !

POURRIEZ-VOUS M'INDIQUER OÙ SE TROUVE LE CHÂTEAU, S'IL VOUS PLAÎT, JE ME SUIS PERDU ET ...

HA! HA! HA!

POURQUOI RIEZ-VOUS ?

PARCE QUE TU ME VOUVOIES, BANANE !

JE VOUVOIE TOUT LE MONDE. MÊME MA MÈRE.

SANS BLAGUE ?!... ET TON PÈRE ?... TU LUI DIS "VOUS" AUSSI ?

IL EST MORT.

OH PARDON !... FAUT PAS M'EN VOULOIR, JE VOULAIS PAS TE FAIRE DE PEINE !... JE SUIS VRAIMENT NULLE !

COMMENT TU T'APPELLES ?

HARRISON BANKS. ET VOUS ?

LÉA.

29

J'HABITE AU VILLAGE, LÀ-BAS!... ET TOI ?... T'ES PAS D'ICI ?

NON, JE SUIS EN VACANCES AU CHÂTEAU. IL FAUT QUE JE ME DÉPÊCHE DE RENTRER SINON JE VAIS ME FAIRE DISPUTER !

POURQUOI ?

PARCE QUE JE N'AI PAS LE DROIT D'ALLER ME PROMENER TOUT SEUL ET, COMME JE ME SUIS PERDU, JE VAIS ARRIVER EN RETARD POUR LE DÉJEUNER !

JE CONNAIS UN RACCOURCI, SI TU VEUX ?... COMME ÇA, TU SERAS PAS EN RETARD ET TU TE FERAS PAS ENGUIRLANDER !

UN RACCOURCI ?!... POUR ALLER AU CHÂTEAU ?

OUI !... MAIS JE TE PRÉVIENS : C'EST PLEIN D'ORTIES ET DE VIPÈRES !... VIENS, JE VAIS TE MONTRER !

VIENS, JE TE DIS !... T'AS LA TROUILLE OU QUOI ?

VOUS SEMBLEZ BIEN SONGEUSE, SŒUR LÉA !... À QUOI PENSEZ-VOUS ?

À MON ENFANCE.

TÉLÉPHONE POUR VOUS, MONSIEUR LE PRÉSIDENT : C'EST SOEUR LÉA.

ALLÔ ?... BONJOUR, SOEUR LÉA !... COMMENT ?... SI JE CONNAIS QUI ?... GOLDY ?... POURQUOI ME DEMANDEZ-VOUS ÇA ?!

PARCE QUE J'AI PROMIS À UN BAGNARD DE VOUS POSER LA QUESTION.

UN BAGNARD ?!

OUI !... IL EST INCARCÉRÉ À L'ARCTIC PENITENTIARY ET, À L'ENTENDRE, VOUS SERIEZ UN IMPOSTEUR !

IL AFFIRME ÊTRE LE VRAI BANKS !... IL VOUS RESSEMBLE D'AILLEURS DE FAÇON TROUBLANTE, ON CROIRAIT VOTRE SOSIE !

AH ! JE VOIS DE QUI IL S'AGIT !... J'AI DÉJÀ EU AFFAIRE À CET INDIVIDU, IL Y A SIX OU SEPT MOIS !... (*) IL EST À MOITIÉ FOU ET SE PREND POUR MOI !... VOUS NE L'AVEZ PAS CRU, J'ESPÈRE ?

NON, BIEN SÛR !... MAIS J'AIMERAIS QUAND MÊME QUE VOUS RÉPONDIEZ À MA QUESTION : QUI EST GOLDY ?

JE SUIS EN PLEINE RÉUNION DU CONSEIL D'ADMINISTRATION ET JE N'AI NI LE TEMPS NI L'ENVIE DE JOUER AUX DEVINETTES !... AU REVOIR !

③

C'EST BIZARRE !

BANKS VIENT DE ME RACCROCHER AU NEZ !... CE N'EST POURTANT PAS SON GENRE !... C'EST BIEN LA PREMIÈRE FOIS QU'IL ME FAIT ÇA !

QUOI DONC ?

(*) LIRE TOME 2

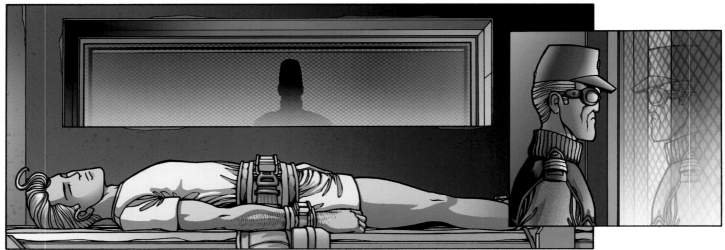

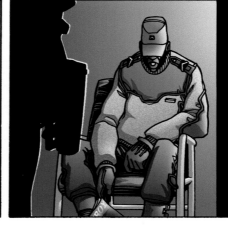

Mm...?!

C'EST COMME ÇA QUE VOUS GARDEZ LE PRISONNIER ?!

EXCUSEZ-MOI, CHEF... JE ... J'AI EU UN COUP DE BARRE !... QUELLE HEURE EST-IL ?

DEUX HEURES DU MATIN !... ALLEZ VOUS COUCHER !

ET LUI ?... QUI VA LE SURVEILLER ?

MOI !

QU'EST-CE QU'IL Y A DANS CE SAC ?

DU COURRIER QUE SOEUR LÉA A AMENÉ HIER APRÈS-MIDI.

ENCORE !... ELLE SAIT POURTANT BIEN QUE C'EST INTERDIT !... EMPORTEZ-LE !... JE NE VEUX PLUS LE VOIR TRAÎNER ICI !

MAIL

JE LE METS OÙ ?

À LA POUBELLE, COMME D'HABITUDE !

32

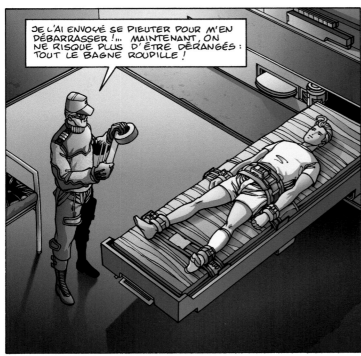

JE L'AI ENVOYÉ SE PIEUTER POUR M'EN DÉBARRASSER !... MAINTENANT, ON NE RISQUE PLUS D'ÊTRE DÉRANGÉS : TOUT LE BAGNE ROUPILLE !

SAUF, BIEN SÛR, LES GARDIENS QUI SURVEILLENT LES CELLULES, DANS LES ÉTAGES INFÉRIEURS !... ILS SONT TROP LOIN POUR ENTENDRE CE QUI SE PASSE ICI MAIS ON NE SAIT JAMAIS ...

DEUX PRÉCAUTIONS VALENT MIEUX QU'UNE !

?!

COMMENT VA TA GUIBOLE ?... UN VRAI MIRACLE QUE TU NE SOIS QUE LÉGÈREMENT BLESSÉ !... J'AVAIS POURTANT PLACÉ LES EXPLOSIFS AU BON ENDROIT, BIEN PLANQUÉS POUR QUE PERSONNE NE LES REMARQUE ...

ET QUAND J'AI APPUYÉ SUR LE DÉTONATEUR, TU ÉTAIS JUSTE SOUS LA BARGE !... T'AVAIS AUCUNE CHANCE DE T'EN SORTIR VIVANT !

MAIS CE CONNARD DE DENZEL A TOUT FAIT FOIRER !

MOI QUI LE PRENAIS POUR UNE LOPETTE !... J'AVOUE QUE JE NE M'ATTENDAIS PAS À CE QU'IL SE SACRIFIE POUR TE SAUVER LA VIE !... REMARQUE : IL N'A PAS EU LE TEMPS DE SOUFFRIR !

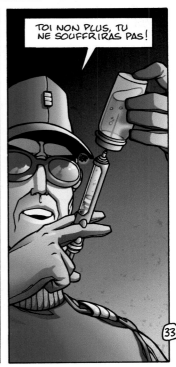

TOI NON PLUS, TU NE SOUFFRIRAS PAS!

33

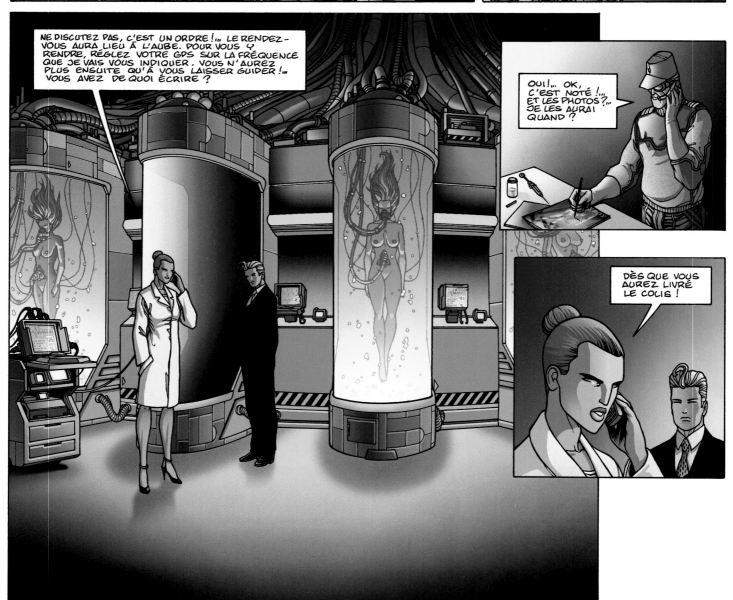

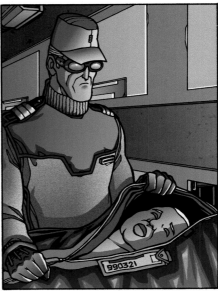

DES ANNÉES QUE JE BOSSE DANS CE FOUTU BAGNE, ET POURTANT JE SUIS TOUJOURS AUSSI ÉMERVEILLÉ QUAND LE JOUR SE LÈVE SUR LA BANQUISE !... C'EST VRAIMENT SUPERBE !... REGARDE, LÀ-BAS, UN RENARD POLAIRE !... ON EN VOIT RAREMENT DANS CE COIN PERDU !

?!

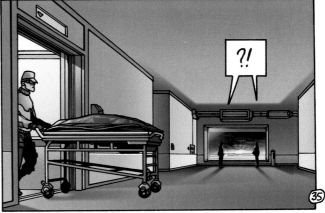

35

DÉJÀ DEBOUT, CHEF ?... VOUS ÊTES BIEN MATINAL !... OÙ VOUS ALLEZ, COMME ÇA ?

J'EMMÈNE DENZEL VOIR LES OURS !

HA! HA! HA!

POURQUOI TU TE MARRES ?!... QU'EST-CE QU'IL A DIT DE SI DRÔLE ?

ON VOIT BIEN QUE TU ES NOUVEAU ICI, TOI, SINON TU ME POSERAIS PAS CETTE QUESTION !

POURQUOI ?

PARCE QU'À CHAQUE FOIS QU'UN DÉTENU CASSE SA PIPE, C'EST TOUJOURS LE CHEF QUI S'EN CHARGE !... IL EMPORTE LE MACCHABÉE À QUELQUES KILOMÈTRES DE LÀ ET L'ABANDONNE AUX OURS !... IL ADORE LES VOIR SE DISPUTER LE CADAVRE !... C'EST UN SPECTACLE DONT IL SE LASSE PAS !

INFRARED : OFF   LIGHT AMP. : OFF   GLOBAL POSITIONING SYSTEM : OFF   target speed : 19.6 mph   GE-GPS

454-789
359-759
195-462
MOVING TARGET DETECTION : AUTO   785-942
852-654

252 m

lens focus   zoom   158 %

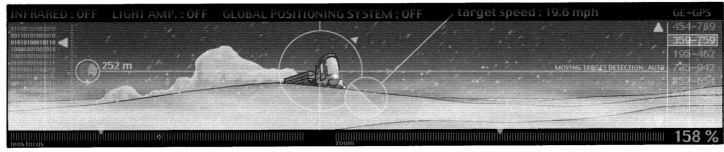

LE VOILÀ !

OÙ EST-IL ?

DERRIÈRE !

ON N'Y VOIT PAS À CENT MÈTRES, AVEC CETTE SALOPERIE DE BLIZZARD !... SANS LE GPS, J'AURAIS JAMAIS PU VOUS TROUVER !... POURTANT, JE CONNAIS LE COIN COMME MA POCHE !

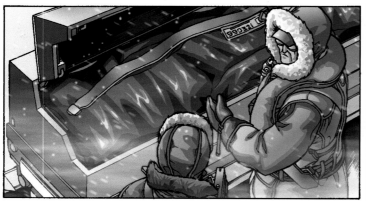

ON LE MET OÙ ?

LÀ-DEDANS !

36

IL EST MORT ?!

NON !... JE L'AI SEULEMENT UN PEU ASSOMMÉ POUR QU'IL SE TIENNE PEINARD LE TEMPS QUE JE LE SORTE DU BAGNE !

♪♪♪

?!

♪♪♪

ALLÔ ?... OUI, JE VOUS REÇOIS CINQ SUR CINQ !... VOUS ÊTES PRÊTS À RÉCEPTIONNER LE COLIS ?... OK !

37

39

ATTACHE
ÇA AU
HARNAIS !

C'EST BON !...
TU PEUX
Y ALLER !

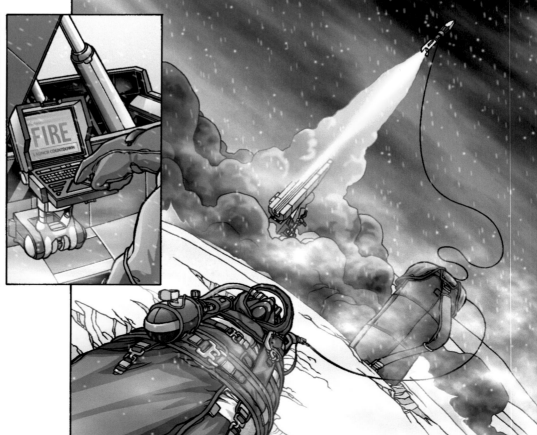

38

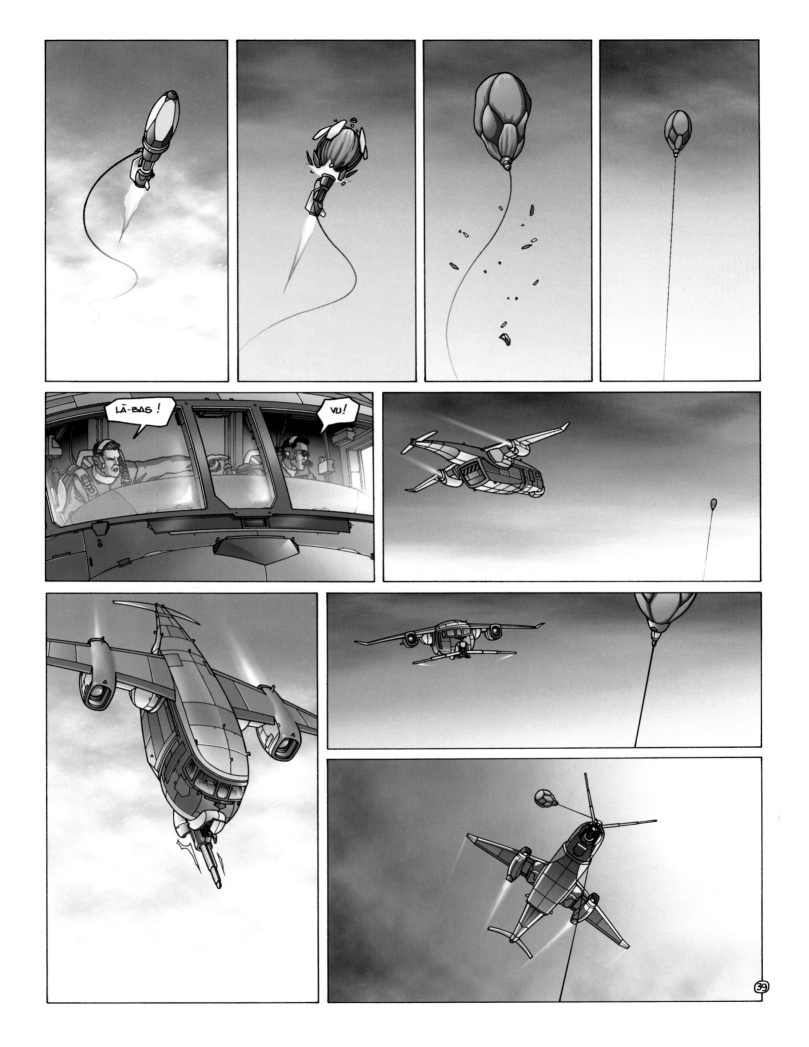

PUTAIN
D'ACCÉLÉRATION !...
IL A ENCAISSÉ UN
PAQUET DE G !

BON !...
ON SE CASSE !...
VAUT MIEUX PAS S'ATTARDER
DANS LE SECTEUR !

ET MES
PHOTOS ?

QUELLES PHOTOS ?!...
JE VOIS PAS DE QUOI
VOUS VOULEZ PARLER !

?!

QUI EST GOLDY ?

SOEUR LÉA A TENU PAROLE, À CE QUE JE VOIS !... ELLE VOUS A POSÉ LA QUESTION !

OUI !... ET TÊTUE COMME JE LA CONNAIS, ELLE ME LA POSERA ENCORE !

ET COMME VOUS IGNOREZ QUI EST GOLDY, VOUS NE POURREZ PAS LUI RÉPONDRE !... ALORS VOUS CRAIGNEZ QUE CELA ÉVEILLE SES SOUPÇONS ET QU'ELLE FINISSE PAR DÉCOUVRIR LA VÉRITÉ SUR VOTRE COMPTE !... C'EST BIEN ÇA ?

ON T'A FAIT ÉVADER POUR QUE TU RÉPONDES À NOS QUESTIONS, PAS POUR QUE T'EN POSES !... ALORS CRACHE LE MORCEAU ET DIS-NOUS TOUT CE QUE TU SAIS SUR CE GOLDY !

IMPOSSIBLE !

POURQUOI ?!

PARCE QUE C'EST UN SECRET QUE M'A CONFIÉ UNE FILLETTE !

QUELLE FILLETTE ?!

JE L'AI CONNUE EN VACANCES, QUAND J'ÉTAIS MÔME !... JE PEUX PAS VOUS EN DIRE PLUS, DÉSOLÉ !... JE LUI AI JURÉ DE N'EN PARLER À PERSONNE !

T'AS TORT DE TE FOUTRE DE MA GUEULE : JE SENS QUE ÇA VA M'ÉNERVER !

43

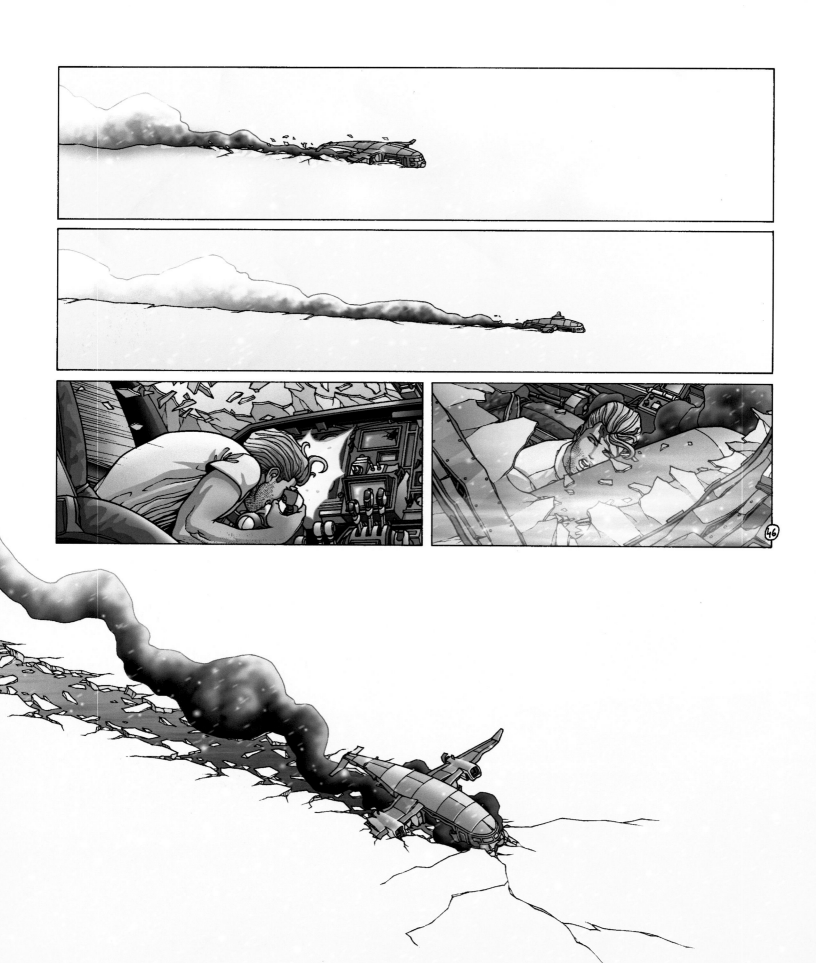